A desobediência civil

Dados Internacionais de Catalogação na Publicação (CIP)
(Câmara Brasileira do Livro, SP, Brasil)

> Thoreau, Henry David, 1817-1862
> A desobediência civil / Henry David Thoreau ; tradução de Adail Sobral. – Petrópolis, RJ : Vozes, 2019. – (Vozes de Bolso)
>
> Título original: On the duty of civil disobedience
> Bibliografia.
> ISBN 978-85-326-6083-1
>
> 1. Desobediência civil 2. Resistência ao governo I. Título. II. Série.
>
> 19-24532   CDD-322.4

Índices para catálogo sistemático:
1. Desobediência civil : Ciência política   322.4
2. Movimentos de resistência : Ciência política   322.4

Cibele Maria Dias – Bibliotecária – CRB-8/9427

Henry David Thoreau

A desobediência civil

Tradução de Adail Sobral

Vozes de Bolso

Título do original em inglês: *On The Duty of Civil Disobedience*
Traduzido a partir da edição eletrônica do
Projeto Gutemberg, 2018.

© desta tradução:
2019, Editora Vozes Ltda.
Rua Frei Luís, 100
25689-900 Petrópolis, RJ
www.vozes.com.br
Brasil

Todos os direitos reservados. Nenhuma parte desta obra poderá ser reproduzida ou transmitida por qualquer forma e/ou quaisquer meios (eletrônico ou mecânico, incluindo fotocópia e gravação) ou arquivada em qualquer sistema ou banco de dados sem permissão escrita da editora.

CONSELHO EDITORIAL

Diretor
Gilberto Gonçalves Garcia

Editores
Aline dos Santos Carneiro
Edrian Josué Pasini
Marilac Loraine Oleniki
Welder Lancieri Marchini

Conselheiros
Francisco Morás
Ludovico Garmus
Teobaldo Heidemann
Volney J. Berkenbrock

Secretário executivo
João Batista Kreuch

Editoração: Ana Lucia Q.M. Carvalho
Diagramação: Sheilandre Desenv. Gráfico
Revisão gráfica: Alessandra Karl
Capa: Ygor Moretti

ISBN 978-85-326-6083-1

Editado conforme o novo acordo ortográfico.

Este livro foi composto e impresso pela Editora Vozes Ltda.

Sumário

A desobediência civil, 7

Notas, 43

A desobediência civil[1]

Aceito entusiasticamente a máxima "O melhor governo é aquele que menos governa", e gostaria de vê-la aplicada mais rápida e sistematicamente. Levada às últimas consequências, equivale ao seguinte, em que também creio: "O melhor governo é aquele que não governa de modo algum" – e quando os homens estiverem preparados, esse será o tipo de governo que terão. O governo, na melhor das hipóteses, não passa de um recurso conveniente; mas a maioria dos governos costuma ser, e todo governo por vezes é, um inconveniente. As objeções que têm sido apresentadas à existência de um exército permanente, que são numerosas e substanciais, e merecem prevalecer, também podem, eventualmente, servir para protestar contra um governo permanente. O exército permanente é apenas um braço do governo permanente. O governo propriamente dito, que não é senão uma forma escolhida pelo povo para executar a sua vontade, também se acha sujeito a abusos e perversões antes de o povo poder agir por meio dele. Prova-o a atual guerra contra o México, obra de um número relativamente pequeno de indivíduos que usam o governo permanente como seu instrumento particular; porque o povo, [se consultado], nunca teria aceito que se tomasse semelhante medida.

O que é o atual governo norte-americano a não ser uma tradição, embora recente, empenhando-se em se transmitir por inteiro à posteridade, mas que a cada instante vai perdendo parcelas da sua integridade? Ele não tem a vitalidade e a força de um único homem vivo, já que um único homem pode fazê-lo dobrar-se à sua vontade. Para o próprio povo, consiste em uma espécie de revólver de brinquedo. Mas nem por isso ele é menos necessário, pois o povo precisa dispor de algum tipo de maquinário complicado, seja qual for, desde que se ouça seu ruído, para preencher a concepção de governo que tem. Logo, os governos nos mostram com que eficácia os homens se deixam oprimir, e até se oprimem a si mesmos, em proveito próprio. Devemos todos admitir que ele é excelente. Contudo, este governo em si mesmo nunca estimulou qualquer iniciativa a não ser pela rapidez com que se dispôs a evadir-se delas. *Ele* não mantém o país livre. *Ele* não resolve a questão do oeste. *Ele* não educa. O caráter inerente do povo norte-americano é que realizou tudo o que temos conseguido fazer; e se teria feito consideravelmente mais se o governo não tivesse sido por vezes um obstáculo. Porque o governo é um recurso conveniente mediante o qual os homens conseguiriam de bom grado deixar uns aos outros em paz; e, como já foi dito, é tanto mais conveniente quanto mais deixa os governados em paz. Os negócios e o comércio nunca conseguiriam ultrapassar os obstáculos que os legisladores insistem em plantar em seu caminho se não fossem feitos de borracha da Índia[2]; e se fôssemos julgar esses homens levando em conta exclusivamente os efeitos de suas ações, e não, em parte, suas intenções, eles mereceriam figurar na classe das pessoas malévolas que põem obstáculos nas ferrovias, e receber as punições a elas impostas.

Mas, pronunciando-me praticamente, e na qualidade de cidadão, ao contrário daqueles que se denominam antigovernistas, o que desejo é, não *imediatamente* nenhum governo, mas imediatamente um governo melhor. Se cada homem puder revelar que tipo de governo seria capaz de merecer seu respeito, teremos dado um primeiro passo para consegui-lo.

Afinal, o motivo prático pelo qual se permite – quando o poder se acha nas mãos do povo – que a maioria governe, e continue a fazê-lo por um longo período de tempo, não é sua maior tendência a estar certa, nem porque parece mais justo para a minoria, mas por ser ela fisicamente a mais forte. Porém, um governo no qual a maioria prevalece em todos os casos não pode ser baseado na justiça, por mais limitado o entendimento que têm desta os homens. Não será possível um governo em que não seja a maioria que decide virtualmente o que é certo ou errado, mas sim a consciência? Um governo no qual a maioria decida apenas sobre questões às quais seja aplicável a norma da conveniência? Deve o cidadão submeter sua consciência, ainda que por um instante ou em alguma medida, ao legislador? Por que então tem cada homem uma consciência? Penso que devemos ser em primeiro lugar homens, e só então súditos. Não é desejável cultivar o respeito às leis em grau equivalente ao respeito aos direitos. A única obrigação que tenho o direito de assumir é fazer a qualquer momento aquilo que julgo certo. Diz-se, e com toda razão, que uma corporação não tem consciência; mas uma corporação de homens conscienciosos é uma corporação *dotada* de consciência. As leis nunca fizeram os homens nem um pouco mais justos; e, mediante o respeito reverente pela lei, até mesmo os bem-intencionados são levados a agir diariamente como agentes da injustiça. Um resultado comum e natural do respeito indevido à lei é que vemos uma coluna de soldados – coronel, capitão, cabos, combatentes, carregadores de explosivos e outros – marchando para a guerra em uma ordem impecável, percorrendo morros e vales, contra a sua vontade, bem como contra seu senso comum e sua consciência; isso torna essa marcha muito pesada e causa palpitações no coração. Eles têm plena certeza de estar envolvidos em uma atividade execrável; e todos têm tendências pacíficas. O que são eles, então? Estarão perto de ser homens? Ou são pequenos fortes e paióis móveis a serviço de algum inescrupuloso detentor do poder? Basta visitar o Estaleiro Naval, e contemplar um fuzileiro, para ver o tipo de homem que um governo norte-americano é capaz de fabricar – ou transformar, com sua magia negra: uma vaga sombra e lembrança de ser humano, um homem vivo e de pé, mas que, como se poderia dizer, já se acha enterrado sob armas com acompanhamento fúnebre, embora seja possível que

> Não se ouviu um rufar de tambor,
> nem a salva de adeus escutamos,
> quando o corpo do herói e sua honra
> na tumba em silêncio enterramos[3].

A massa de homens serve ao Estado, portanto, não especialmente em sua qualidade de homens, mas na condição de máquinas, com seus corpos. Ela é o exército permanente, a milícia, os carcereiros, os policiais, a força pública etc. Na maioria dos casos, não há nenhum livre-exercício de escolha ou de sentido moral; em vez disso, os homens que a compõem equiparam-se à madeira, à terra e às pedras; e talvez seja possível fabricar bonecos de madeira que sirvam a esse mesmo propósito. Eles não merecem mais respeito do que um espantalho ou um monte de terra. Seu valor é o mesmo de cavalos e cachorros. Não obstante, homens assim são apreciados de modo geral como bons cidadãos. Há outros, como a maioria dos legisladores, políticos, advogados, funcionários e dirigentes, que servem ao Estado principalmente com a cabeça, e, como raramente conseguem fazer distinções morais, é bem provável que sirvam, sem o *querer*, tanto ao diabo como a Deus. Um número deveras reduzido – heróis, patriotas, mártires, reformadores no sentido nobre do termo e *homens* – serve ao Estado também com a consciência e, por isso, necessariamente a ele resistem, sendo comum que o Estado em geral os trate como inimigos. Um homem sábio só será de fato útil na condição de homem, não se sujeitando a ser "barro" e "tapar um buraco e cortar o vento"[4], e, na pior das hipóteses, deixa esse papel para suas cinzas:

> Sou nobre demais para ser propriedade,
> Para ser o segundo no comando
> Ou serviçal utilizável e instrumento
> De qualquer Estado soberano deste mundo[5].

Aqueles que se entregam completamente aos seus semelhantes a eles se afiguram inúteis e egoístas; mas aqueles que se entregam parcialmente são entronizados como benfeitores e filantropos.

Que atitude deve adotar um homem perante o atual governo dos Estados Unidos? Minha resposta é que não pode estar associado a ele sem se degradar. Nem por um minuto posso reconhecer como *meu* governo uma organização política que é também o governo de *escravos*.

Todos os homens reconhecem o direito à revolução, isto é, o direito de negar lealdade e de oferecer resistência ao governo quando sua tirania e ineficiência se tornam grandes e insuportáveis. Mas quase todos dizem que isso não acontece agora. Consideram, porém, que aconteceu na Revolução de 1775[6]. Se alguém me dissesse que aquele governo foi ruim porque estabeleceu certas taxas sobre bens estrangeiros que chegavam aos seus portos, é bem provável que eu pouco me importasse, pois posso passar sem esses bens. Todas as máquinas têm atrito, e é possível que isso seja bom o bastante para compensar o mal. Seja como for, fazer um estardalhaço por esse motivo é um grande mal. Mas quando é o atrito que tem a máquina, e vemos organizados a opressão e o roubo, afirmo que não mais devemos ter essa máquina. Em outras palavras, quando um sexto da população de um país que se propôs a ser o refúgio da liberdade é composto de escravos, e quando todo um país é injustamente tomado de assalto e conquistado por um exército estrangeiro, e submetido à lei marcial, creio que não é cedo demais para os homens honestos se rebelarem e fazerem uma revolução. E o que torna esse dever tão mais urgente é o fato de que o país tomado de assalto não é o nosso, mas é nosso o exército invasor.

No capítulo intitulado "Duty of submission to civil government" (O dever de submissão ao governo civil), William Paley, uma autoridade reconhecida em assuntos morais, reduz toda a questão da obrigação civil à fórmula da conveniência, chegando então a dizer: "Enquanto o interesse de toda a sociedade o exigir, ou seja, enquanto não se possa resistir ao governo estabelecido, ou mudá-lo, sem inconveniência pública, é a vontade de Deus que se obedeça ao governo estabelecido – e só nessa circunstância. Admitindo-se este princípio, a justiça de cada ato particular de resistência reduz-se a calcular o volume de risco e de protestos, de um lado, e o da probabilidade e custos da reparação daquele, do outro". Sobre isso, ele diz que cada homem julgará esta questão por si mesmo. Mas, ao que parece, Paley nunca contemplou os casos em que a regra da conveniência não se aplica, aqueles nos quais um povo, assim como um indivíduo, tem de fazer justiça a qualquer custo. Se tirei, injustamente, a tábua de um homem que se afoga, sou obrigado a devolvê-la, embora eu mesmo me afogue. Isso, de acordo com Paley, é inconveniente. Mas aquele que salvaria sua vida nesse caso vai acabar por perdê-la. Este povo tem que acabar a escravidão e parar de guerrear com o México, mesmo que isso custe sua existência como povo.

Em sua prática, as nações concordam com Paley. Mas haverá quem considere que Massachusetts faz exatamente o que é correto na atual crise?

Rameira de classe, vadia
de luxo, levanta a cauda

do vestido e arrasta a alma
no lixo.

Em termos práticos, os oponentes da reforma[7] em Massachusetts não são cem mil políticos do sul, mas cem mil comerciantes e fazendeiros daqui que se interessam mais pelo comércio e pela agricultura do que pela humanidade, e que não estão dispostos a fazer justiça ao escravo e ao México *custe o que custar*. Não combato inimigos distantes, mas aqueles que, bem de perto, cooperam, defendendo-a, com a posição de homens que estão longe daqui e que seriam inofensivos se não fosse por eles. Estamos acostumados a afirmar que a massa dos homens é despreparada; mas a melhoria é lenta, porque os poucos não são substancialmente mais sábios ou melhores do que os muitos. Não é tão importante que muitos sejam tão bons quanto você, e sim que haja em algum lugar alguma virtude absoluta, porque esta há de fermentar toda a massa. Há milhares de pessoas que, *no plano da opinião*, são contrárias à escravidão e à guerra, mas que, na prática, nada fazem para pôr fim a elas; pessoas que se declaram filhos de Washington e Franklin, mas ficam sentadas com as mãos no bolso e dizem não saber o que pode ser feito e nada fazem; que chegam ao ponto de colocar a questão do livre-comércio à frente da questão da liberdade, e que, depois do jantar, leem calmamente as cotações do dia junto com os últimos boletins militares da campanha no México – e talvez até adormeçam diante delas. Qual é a cotação do dia de um homem honesto e patriota? Eles hesitam, arrependem-se e às vezes assinam petições, mas nada fazem de concreto ou de efetivo. Esperam, com boa disposição, que outros remedeiem o mal, para que não mais tenham de que se arrepender. No máximo, apenas depositam na urna um voto comprado, cumprimentam timidamente a atitude certa e, à sua passagem, desejam-lhe boa sorte. Há novecentos e noventa e nove patronos da virtude para apenas um homem virtuoso; porém, é mais fácil lidar com o verdadeiro dono de algo do que com seu guardião temporário.

Toda votação é uma espécie de jogo, como damas ou gamão, com uma leve coloração moral, um jogo com o certo e o errado, com questões morais, acompanhado, é claro, de apostas. O caráter dos eleitores não entra nas avaliações. Dou meu voto – talvez – de acordo com o que julgo correto; mas não tenho um interesse vital em ver o certo prevalecer. Disponho-me a deixar isso para a maioria. Sua obrigação, assim, nunca vai além da conveniência. Mesmo *votar a favor do certo* não é *fazer* algo em favor dele; é apenas uma forma de exprimir anemicamente aos homens o desejo de que o certo venha a prevalecer. Um homem sábio não deixa o certo à mercê do acaso, nem espera que prevaleça pela força da maioria. Há escassa virtude nas ações das massas de homens. Quando finalmente votar a favor da abolição da escravatura, a maioria ou será indiferente à escravidão ou então não haverá muita escravidão a ser abolida pelo seu voto. A essa altura, os únicos escravos serão os *integrantes* da maioria. O *único* voto capaz de apressar a abolição da escravatura é o daquele homem que afirma sua própria liberdade através de seu voto.

Soube que haverá em Baltimore, ou algum outro lugar, uma convenção para escolher um candidato à presidência, uma convenção composta principalmente por editores de jornais e políticos profissionais. Mas penso: que importância terá a possível decisão deles para um homem independente, inteligente e respeitável? Não teremos, contudo, a vantagem de nossa sabedoria e honestidade? Será que não poderemos contar com alguns votos independentes? Não haverá muitas pessoas neste país que não vão a convenções? Mas não é isso o que acontece: percebo que o chamado homem respeitável logo abandona sua posição e começa a se desesperar de seu país, quando seu país tem mais motivos para desesperar-se dele. Ele então adere a um dos candidatos assim selecionados por ser o único *disponível*, provando desse modo que ele mesmo está *disponível* para todos os planos do demagogo. Seu voto não vale mais do que o voto comprado de um estrangeiro inescrupuloso ou do conterrâneo venal. Vivas ao homem que seja homem e que tenha, como diz um vizinho meu, uma coluna que não se dobra aos poderosos! Nossas estatísticas estão erradas: a população saiu com gente demais. Quantos *homens* existem em cada mil milhas quadradas deste país? No máximo um. Os Estados Unidos oferecem ou não incentivos para homens se estabelecerem aqui? Os homens norte-americanos se reduziram à dimensão de um membro da *Odd Fellow*[8], cujo integrante típico pode ser identificado por seu descomunal caráter gregário, sua manifesta carência de inteligência e sua jovial autoconfiança; a sua primeira e maior preocupação, ao chegar a este mundo, é a de verificar se os asilos estão em boas condições e, antes mesmo de ter direito de usar roupas de adulto, ele organiza uma coleta de fundos para as viúvas e órfãos que porventura existam; em poucas palavras, é um homem que só ousa viver com a ajuda de alguma empresa de seguro funeral que lhe prometa um enterro decente.

A bem dizer, nenhum homem tem o dever de se dedicar à erradicação de mal algum, sequer o maior dos males; ele pode muito bem encontrar legitimamente outras preocupações que o mobilizem. Mas sua obrigação é, no mínimo, de lavar as mãos com relação a isso e, uma vez que não mais se ocupe dela, de não lhe dar nenhum apoio prático. Se me dedico a outras metas e considerações, tenho ao menos de verificar se não o faço montado nas costas de alguma outra pessoa. Tenho primeiro que sair de cima dela para que ela também possa fazer suas considerações. Vejam como se tolera uma inconsistência das mais grosseiras. Já ouvi alguns dos meus conterrâneos dizerem: "Queria que me convocassem para ir combater uma insurreição de escravos ou para atacar o México – pois eu não iria". Contudo, cada um desses homens possibilitou o envio de um substituto, seja diretamente, pela sua fidelidade ao governo, ou ao menos indiretamente, através do seu dinheiro. O soldado que se recusa a participar de uma guerra injusta é aplaudido por aqueles que não recusam apoio ao governo injusto que move a guerra; é aplaudido por aqueles cuja ação e autoridade ele despreza e desvaloriza. É como se o Estado estivesse arrependido o suficiente para contratar um crítico dos seus pecados, mas não o bastante para parar por um instante sequer de cometer pecados. Assim sendo, em nome da ordem e do governo civil, podemos ao menos homenagear e apoiar nossa própria crueldade. Logo depois do rubor diante de nosso primeiro pecado se instala a indiferença; e, de imoral ele se torna, por assim dizer, amoral, e não tão desnecessário para o tipo de vida que construímos.

O mais amplo e comum dos erros requer a virtude mais desinteressada para se manter. São os nobres os mais passíveis de proferir o ataque a que costuma estar sujeita a virtude do patriotismo. Aqueles que desaprovam o caráter e as medidas de um governo, mantendo, contudo, sua lealdade e apoio a ele, são decerto os maiores partidários conscienciosos do governo, e muito frequentemente os maiores opositores das reformas. Alguns fazem petições para pedir ao Estado que dissolva a União, ou que desconsidere as recomendações do presidente. Por que eles mesmos não dissolvem essa união – entre eles e o Estado – e se recusam a pagar sua cota de impostos? Não estão eles com o Estado na mesma relação que a deste com a União? E não são as mesmas razões que impedem a resistência do Estado à União e sua resistência ao Estado?

Como pode um homem se satisfazer com a simples posse de uma opinião e gostar *disso*? Que prazer pode haver em ter a opinião de que se é oprimido? Se seu vizinho lhe subtrai um mero dólar, a pessoa não se satisfaz em descobrir que foi enganada, com dizer que o foi ou mesmo em pedir-lhe que efetue o devido reembolso; em vez disso, toma imediatamente medidas efetivas para receber todo o montante e cuida para nunca mais ser enganado. Ações baseadas em princípios, a percepção e a execução do que é certo, alteram coisas e relações; são essencialmente revolucionárias e não correspondem integralmente a nenhuma coisa preexistente. Elas cindem não apenas Estados e Igrejas, mas também famílias; e também cindem o *indivíduo*, separando nele o diabólico do divino.

Existem leis injustas. Devemos nos aprazer em cumpri-las, tentar emendá-las, obedecendo a elas até o conseguirmos, ou transgredi-las imediatamente? Os homens em geral pensam, sob um governo como o nosso, que devem esperar até que tenham convencido a maioria a alterá-las. Julgam que, caso resistam, o remédio seja pior do que o mal. Mas é precisamente por culpa do governo que o remédio é pior do que o mal. *Ele* o torna pior. Por que ele não se dispõe mais a antecipar-se e promover a reforma? Por que ele não valoriza sua sábia minoria? Por que clama e resiste antes de ser atacado? Por que não encoraja os cidadãos a lhe mostrar suas falhas para ter *um desempenho* melhor do que eles exigem? Por que ele sempre crucifica Jesus Cristo, excomunga Copérnico e Lutero e qualifica Washington e Franklin como rebeldes?

Podemos pensar que a única transgressão que o governo nunca previu foi a negação deliberada e prática de sua autoridade; se não, por que motivo não estabeleceu uma penalidade clara, cabível e proporcional para ela? Um homem sem propriedade que se recuse uma única vez a recolher nove xelins aos cofres do Estado é preso por prazo cujo limite nenhuma lei que eu conheça estabelece, mas é determinado exclusivamente pelo arbítrio dos que o enviam à prisão. Mas se resolver roubar noventa vezes nove xelins do Estado, em breve estará em liberdade.

Se a injustiça é parte do necessário atrito do funcionamento da máquina governamental, que assim seja; talvez ela se suavize com o desgaste – certamente a máquina ficará gasta. Se a injustiça dispõe, para seu uso exclusivo, de uma mola, roldana, corda ou manivela, então talvez se possa julgar se o remédio não será pior do que o mal; mas se ela tiver tal natureza que exija que você seja o agente de uma injustiça para outros, então eu digo: devemos transgredir a lei. Faça da sua vida um contra-atrito que pare a máquina. O que preciso fazer é cuidar para que de modo algum eu me preste aos males que condeno.

Quanto a adotar as medidas que o Estado oferece para remediar os males, devo dizer que não as conheço. Elas são tão mais demoradas do que a vida inteira de um homem. Tenho outras coisas para fazer. Não vim a este mundo com o objetivo principal de fazer dele um bom lugar para viver, mas apenas para nele viver, seja bom ou mal. Um homem não tem a obrigação de fazer tudo, mas apenas algo; e não é por não poder fazer *tudo* que precisa fazer *algo* errado. Não me incumbe mais apresentar petições ao governador e ao Poder Legislativo do que incumbe a eles fazê-lo em relação a mim. E se eles não derem atenção a um pedido meu, que devo fazer então? Mas nesse caso o Estado não forneceu outra via: sua própria Constituição é o mal. Pode parecer grosseria, teimosia e intransigência, mas é tratar com a maior delicadeza e consideração o único espírito que pode apreciá-las ou que as merece. Todas as mudanças para melhor são assim, como o são o nascimento e a morte, que produzem convulsões nos corpos.

Não hesito em afirmar que aqueles que se intitulam abolicionistas devem imediata e efetivamente retirar o seu apoio, tanto em termos pessoais como de propriedade, ao governo de Massachusetts, e não ficar esperando até que consigam obter metade mais um para só então obter o direito de vencer por meio dessa maioria. Creio que basta que tenham Deus do seu lado, sem esperar por esse outro voto. Além de tudo, qualquer homem mais correto do que seus vizinhos já constitui uma maioria de um.

Encontro-me diretamente, e cara a cara, com este governo norte-americano, ou seu representante, o governo estadual, não mais que uma vez por ano: é quando sou procurado pelo coletor de impostos. Essa é a única maneira de um homem na minha situação encontrar necessariamente esse governo. E ele então diz claramente: "Reconheça-me". E a forma mais simples, mais eficaz e, na atual conjuntura, mais indispensável de lidar com ele neste aspecto, de expressar sua pouca satisfação com ele ou seu pouco amor por ele, consiste, portanto, em negá-lo nesse momento. Meu vizinho e concidadão, o coletor de impostos, é o próprio homem com quem tenho de lidar – porque, afinal, luto contra homens, e não contra o pergaminho das leis, e porque sei que ele voluntariamente optou por ser um agente do governo. De que outra maneira vai ele ficar sabendo claramente o que é e o que faz como agente do governo, ou como homem, a não ser se for obrigado a decidir como vai me tratar, o vizinho que ele respeita como tal: como vizinho e homem de boa índole ou como fanático e perturbador da paz? Poderá ele superar esse obstáculo à sua sociabilidade sem um pensamento ou palavra mais rudes e mais impetuosos correspondentes à sua ação? De uma coisa tenho certeza: se mil, se cem, se dez homens que conheço – se somente dez homens *honestos* –, bem, se *um* único homem HONESTO do Estado de Massachusetts, *deixando de manter escravos*, de fato pusesse fim a seu vínculo com essa confraria e fosse trancado na cadeia municipal, estaríamos testemunhando a abolição da escravatura nos Estados Unidos. Pois não importa quão pequenos pareçam os primeiros passos: aquilo que se faz bem feito se faz para sempre. Preferimos, no entanto, debater o assunto: essa é nossa missão – dizemos. Dezenas de jornais se alinham ao abolicionismo, mas não há um único homem que o faça. Se meu estimado vizinho, o embaixador do Estado de Massachusetts, que se dedica à resolução das questões dos direitos humanos na Câmara do Conselho, em vez de estar ameaçado de prisão na Carolina do Sul, tivesse sido preso do Estado de Massachusetts, esse Estado que tem tanta ânsia de acusar sua irmã [Carolina do Sul] do pecado da escravidão – ainda que hoje não tenha nada além de uma atitude pouco hospitaleira como motivo para brigar com ela–, nosso legislativo não iria adiar indefinidamente a questão da escravidão.

Sob um governo que aprisiona injustamente, o lugar digno para um homem justo também é a prisão. O lugar próprio hoje, o único lugar que Massachusetts reserva para seus espíritos mais livres e menos desalentados, são suas prisões, nas quais serão confinados e trancados, longe do Estado, por um ato do próprio Estado, pois esses espíritos já antes tinham se confinado devido a seus princípios. É ali que serão encontrados pelos escravos fugidos, pelos prisioneiros mexicanos em liberdade condicional e pelos indígenas, para ouvir as denúncias sobre as humilhações impostas aos seus povos; ali, aquele solo discriminado, porém mais livre e honroso, em que o Estado planta os que não estão *com ele*, mas sim *contra ele* – se acha, em um Estado-senzala, a única morada que um homem livre pode habitar com honra. Quem julga que sua influência se perderia ali, que sua voz deixaria de atormentar os ouvidos do Estado, que entre seus muros deixaria de ser um inimigo, ignora o quanto a verdade é mais forte que o erro, bem como que a injustiça pode ser combatida com muito mais eloquência e efetividade por aqueles que já sofreram na carne um pouco dela. Manifeste integralmente seu voto, não como mero pedaço de papel, mas com todo o peso de sua influência. Uma minoria fica indefesa enquanto se conformar à maioria, e sequer chega a ser uma minoria; mas é irresistível quando intervém com todo o seu peso. Diante das alternativas, entre manter todos os homens justos na prisão ou desistir da guerra e da escravidão, o Estado não hesitará na escolha. Se este ano mil homens não pagassem os seus impostos, esse ato não seria tão violento e sanguinário quanto o próprio pagamento, que permite ao Estado cometer violências e derramar o sangue dos inocentes. Esta é, na verdade, a definição de revolução pacífica, se assim se pode dizer. Se o coletor de impostos ou outro funcionário público qualquer me perguntar (como um deles o fez) "Mas o que vou fazer agora?", minha resposta será: "Se de fato quer fazer alguma coisa, então renuncie ao seu cargo". Quando o súdito recusa a lealdade e o funcionário renuncia ao seu cargo, a revolução se realiza. Mas vamos supor que corra sangue. Não haverá uma espécie de derramamento de sangue quando a consciência é ferida? Um ferimento como esse leva à perda da verdadeira humanidade e imortalidade de um homem, e ele sangra até uma morte eterna. Vejo esse sangue correndo agora.

Fiz considerações sobre a prisão do infrator, em vez de sobre o confisco de seus bens – embora essas duas medidas sirvam ao mesmo fim –, porque aqueles que defendem o mais puro direito, e que, como decorrência, são os seres mais perigosos para um Estado corrupto, em geral não gastaram muito de seu tempo acumulando bens. Para homens nessa condição, o Estado presta serviços relativamente pequenos, e um leve imposto tende a ser considerado exorbitante, particularmente quando são obrigados a fazer com as próprias mãos um trabalho especial para obter o montante cobrado. Se alguém vivesse sem nunca usar dinheiro, o próprio Estado hesitaria em exigi-lo dele. Mas o homem rico – e não pretendo estabelecer uma comparação invejosa –, está sempre vendido à instituição que o enriquece. Falando em termos absolutos, quanto mais dinheiro, menos virtude; porque o dinheiro se interpõe entre um homem e seus objetos, e os obtém para ele; não é por certo uma grande virtude obtê-los dessa maneira. O dinheiro cala muitas questões que de outra forma o homem se veria sob a pressão de responder, ao passo que a única nova questão que o dinheiro traz é difícil, mas supérflua: "Como gastá-lo?" Nessa circunstância, o homem se vê privado de uma base moral. As oportunidades de viver se reduzem proporcionalmente ao incremento dos chamados "meios". A melhor coisa que um homem rico pode fazer em favor da cultura de seu tempo é empenhar-se em realizar os planos que tinha quando pobre. Cristo respondeu aos herodianos[9] de acordo com a condição deles. "Mostrem-me a moeda do tributo", disse ele; e um deles tirou do bolso uma moeda: se vocês usam o dinheiro com a imagem de César, dinheiro que ele colocou em circulação e dotou de valor, isto é, *se vocês são homens do Estado* e usufruem alegremente as vantagens do governo de César, então restituam parte do que é dele quando ele o exigir. Ele disse: "Dai, pois, a César o que é de César, e a Deus, o que é de Deus" (Mt 22,21) – e os deixou como antes: incapazes de distinguir um do outro, pois eles não queriam saber.

Quando converso com os mais livres dentre os meus vizinhos, percebo que, independentemente do que digam acerca da grandeza e da seriedade do problema e de sua preocupação com a tranquilidade pública, tudo acaba por se reduzir ao seguinte: eles não podem renunciar à proteção do governo vigente, e temem as consequências de sua desobediência para suas propriedades e famílias. De minha parte, não gostaria de imaginar que algum dia venha a depender da proteção do Estado. Mas se nego a autoridade do Estado quando ele apresenta sua cobrança de impostos, ele logo confisca e dissipa todas as minhas propriedades, e persegue a mim e à minha família infinitamente. Eis uma imensa dificuldade. Ela torna um homem incapaz de levar uma vida a um só tempo honesta e confortável em aspectos exteriores. De que vale acumular propriedade se ela certamente seria tomada de novo? Temos de arrendar alguns alqueires ou ocupar uma terra devoluta, fazer um pequeno cultivo e consumir o mais rápido possível toda a produção. Temos de viver por nós mesmos e depender apenas de nós mesmos, sempre de mala feita e prontos para recomeçar – e não ter muitos vínculos. Um homem pode ficar rico mesmo na Turquia, se for em todos os aspectos um bom súdito do governo turco. Confúcio disse: "Se um Estado é governado pelos princípios da razão, a pobreza e a miséria são motivos de vergonha; se um Estado não é governado pelos princípios da razão, a riqueza e as honrarias são os motivos de vergonha". Não! Até solicitar, em um remoto porto sulino, que se seja concedida a proteção do Estado de Massachusetts para preservar minha liberdade, ou até me dedicar apenas a obter por meios pacíficos um patrimônio aqui, tenho condições de negar lealdade ao estado de Massachusetts e seu direito à minha propriedade e à minha vida. É mais barato, em todos os sentidos, ser penalizado pela desobediência ao Estado do que obedecer, pois neste último caso eu me sentiria desvalorizado.

Há alguns anos o Estado veio a mim, em nome de uma igreja, e me intimou a pagar certa quantia destinada a sustentar um pastor cujo culto meu pai costumava frequentar, mas a que jamais fui. Ele disse: "Pague ou será trancafiado". Recusei-me a pagar. Mas, por infelicidade, outro homem achou por bem efetuar o pagamento em meu nome. Eu não via razões para que o mestre-escola fosse taxado a fim de sustentar o clérigo e não o clérigo para sustentar o mestre-escola; pois eu não era o mestre-escola do Estado, e obtinha meu sustento de contribuições voluntárias. Não via o motivo pelo qual o liceu não devesse ele mesmo cobrar impostos e fazer que o Estado, juntamente com a igreja, apoiasse seu pedido. Contudo, por solicitação dos conselheiros municipais, concordei em fazer por escrito uma declaração com o seguinte teor: "Saibam todos quantos lerem esta declaração que eu, Henry Thoreau, não desejo ser considerado membro de nenhuma sociedade organizada à qual não tenha aderido". Entreguei o texto ao secretário municipal, que deve tê-lo até hoje em seu poder. Sabendo, portanto, que eu não queria ser considerado membro daquela Igreja, o Estado nunca mais me fez uma exigência como essa, ainda que declarasse que tinha de manter os pressupostos originais a partir dos quais tinha me abordado. Se me tivesse sido possível saber seus nomes, eu teria me desligado, detalhadamente, na época, de todas as organizações a que não havia aderido, mas não sabia onde encontrar uma lista completa delas.

Fiquei seis anos sem pagar o imposto de votação[10]. Fui encarcerado certa vez por causa disso, e passei uma noite na prisão; e, enquanto refletia sobre as paredes de pedra sólida, com dois ou três pés de espessura, a porta de madeira e ferro, com um pé de espessura, e as grades de ferro que dificultam a entrada da luz, não pude deixar de perceber a idiotice de uma instituição que me tratou como se eu fosse apenas carne e sangue, e ossos, a ser trancafiados. Fiquei pensando que ela deveria ter concluído, depois de longa consideração, que aquela era a melhor utilidade que podia me atribuir, e que ela nunca cogitara de recorrer a meus serviços de alguma outra forma. Entendi que, embora houvesse uma espessa parede de pedra entre mim e meus concidadãos, havia uma muralha muito mais difícil de transpor antes de eles chegarem a ser tão livres quanto o sou. Nem por um momento me senti confinado, e as paredes me deram a impressão de um enorme desperdício de pedras e argamassa. Senti-me como o único dos meus concidadãos a pagar impostos. Eles evidentemente não sabiam como me tratar, comportando-se como pessoas de baixa extração. Em cada ameaça e em cada saudação, se ocultava um erro crasso, porque eles pensavam que meu maior desejo era de estar do outro lado daquela parede de pedra. Não pude deixar de rir diante do cuidado com que trancaram minhas meditações, que contudo voltaram a acompanhá-los porta afora sem nenhum obstáculo; e eram *elas* tudo que representava o real perigo. Como eu estava fora do seu alcance, tinham resolvido punir meu corpo, agindo como meninos que, não podendo enfrentar uma pessoa de quem sentem raiva, chutam seu cachorro. Dei-me conta de que o Estado é estúpido, tímido como uma solteirona às voltas com a prataria, e que é incapaz de distinguir seus amigos dos inimigos. E assim perdi todo o respeito que ainda tinha por ele, e o tornei objeto de minha comiseração.

Logo, o Estado nunca confronta intencionalmente o sentimento, intelectual ou moral, de um homem, mas apenas seu corpo, seus sentidos. Ele não é dotado de gênio superior ou de honestidade, tendo apenas superioridade física. Não nasci para ser coagido. Respiro da forma que me aprouver. Veremos quem é o mais forte. Que força tem uma multidão? Só me pode coagir quem obedece a uma lei mais alta do que a minha. Eles me obrigam a ser como eles. Nunca ouvi falar de *homens* que tenham sido *obrigados* a viver dessa ou daquela maneira por multidões. Que tipo de vida seria essa? Quando encontro um governo que me diz "A bolsa ou a vida!", por que eu deveria me apressar a lhe dar meu dinheiro? Talvez ele esteja passando por grande dificuldade e não saiba o que fazer; mas não posso ajudá-lo. Ele deve cuidar de si mesmo, agir como eu. De nada adianta choramingar por causa disso. Não sou responsável pelo bom funcionamento da máquina da sociedade; não sou o filho do engenheiro. A meu ver, quando sementes de carvalho e de castanheira caem lado a lado, nenhuma delas se retrai para dar passagem à outra, mas cada uma segue suas próprias leis; e brotam, crescem e florescem da melhor maneira possível, até que uma por acaso acabe superando e destruindo a outra. Uma planta que não pode viver de acordo com sua natureza morre; assim também um homem.

A noite que passei na prisão foi deveras diferente e interessante. Quando cheguei, os prisioneiros, em mangas de camisa, conversavam na entrada, aproveitando o vento fresco da noite. Mas o carcereiro lhes disse: "Venham, rapazes, é hora de trancar as portas", e eles se dispersaram; ouvi então o barulho de seus passos voltando para as celas vazias. O carcereiro me apresentou meu companheiro de cela, qualificando-o como "um sujeito de primeira e um homem ponderado". Quando a porta foi trancada, ele me mostrou o cabide onde pendurar o chapéu e explicou-me como se faziam as coisas ali. As celas eram caiadas uma vez por mês; e aquele era ao menos o alojamento mais branco, de mobiliário mais simples e provavelmente o mais limpo de toda a cidade. Ele, naturalmente, quis saber de onde eu vinha e por que tinha ido parar ali; depois que lhe contei minha história, foi minha vez de lhe perguntar a sua, claro que presumindo que ele fosse um homem honesto; e, considerando como vão as coisas no mundo, acredito que seja. Ele disse: "Ora, acusam-me de ter incendiado um celeiro; mas não fui eu". Pelo que me foi dado perceber, ele provavelmente fora deitar-se, bêbado, em um celeiro, e fumou seu cachimbo; e assim um celeiro se desfez em chamas. Ele tinha a fama de ser um homem ponderado, aguardava ali há três meses o julgamento e teria de esperar outros três meses ainda; mas estava bem cordato e contente, uma vez que tinha casa e comida de graça e se considerava bem tratado.

Ele ocupou uma janela, e eu a outra, e me dei conta de que, se alguém ficasse por ali muito tempo acabaria tendo por atividade principal olhar pela janela. Em pouco tempo eu tinha lido todos os folhetos que encontrara, e passei a observar os locais por onde antigos prisioneiros tinham fugido; vi onde uma grade tinha sido serrada e ouvi a história dos vários ocupantes anteriores daquele cômodo; porque acabei descobrindo que até mesmo ali havia histórias e tagarelices que nunca circulavam para além das paredes da cadeia. Aquela é provavelmente a única casa na cidade onde se escrevem poesias que são impressas em forma de circular, mas não são publicadas. Mostraram-me uma grande quantidade de poesias feitas por alguns jovens que tinham tido frustradas suas tentativas de fuga e se vingavam declamando-as.

Obtive todas as informações que pude de meu companheiro de cela, por temer nunca mais voltar a encontrá-lo; mas eventualmente ele me indicou minha cama e deixou para mim a tarefa de apagar a lamparina.

Ficar ali deitado por uma noite foi como viajar a um país distante, um país que eu nunca teria imaginado contemplar. Pareceu-me que eu nunca antes tinha ouvido o relógio da cidade dar as horas, nem os ruídos noturnos do lugarejo. Porque dormíamos com as janelas abertas, instaladas por dentro das grades. Era como contemplar minha cidadezinha natal à luz da Idade Média, e nosso Rio Concord transformou-se em uma corrente do Reno, e cavaleiros e castelos desfilaram diante de meus olhos. Eram as vozes de antigos burgueses que eu ouvia nas ruas. Tornei-me um espectador e testemunha involuntária de tudo o que se fazia e dizia na cozinha da hospedaria local adjacente – uma experiência inteiramente nova e rara para mim. Era uma visão bem mais íntima de minha cidade natal. Eu estava razoavelmente perto de seu âmago. Nunca antes vira suas instituições. Essa é uma de suas instituições peculiares, pois a cidade é a sede do condado. Comecei a compreender de que se ocupavam seus habitantes.

Pela manhã, nosso desjejum foi empurrado através de um buraco na porta; era servido numa vasilha de estanho adaptada ao tamanho do buraco e consistia numa porção de chocolate com pão preto, acompanhados de uma colher de ferro. Quando pediram a devolução das vasilhas, minha inexperiência foi tamanha que ia colocando de volta o pão que sobrou quando meu companheiro o pegou e disse que eu deveria guardá-lo para o almoço ou o jantar. Logo depois, deixaram que ele saísse para trabalhar num campo de feno das vizinhanças, para onde se deslocava todos os dias e de onde não voltava antes do meio-dia. Ele me deu "bom-dia" e disse que duvidava que nos víssemos outra vez.

Quando saí da prisão – pois alguém interferiu e pagou o tal imposto –, não percebi as grandes mudanças no dia a dia notadas por pessoas aprisionadas ainda jovens e que são libertas já trôpegas e grisalhas. Mas meu modo de ver a cidade, o Estado e o país havia se alterado, o que era uma mudança maior do que a causada pela mera passagem do tempo. Vi com clareza ainda maior o Estado em que habitava. Vi até que ponto podia confiar nas pessoas entre as quais vivia como bons vizinhos e amigos, e percebi que sua amizade se mantinha apenas nos bons momentos; que eles não têm grandes intenções de proceder corretamente; que, tal como os chineses e malaios, eles são, por causa de seus preconceitos e superstições, uma raça diferente da minha; que, em seus atos de sacrifício pela humanidade, não arriscam a si mesmos ou sua propriedade; que, afinal, eles não são tão nobres, mas tratam o ladrão tal como este os trata; e que esperam, mediante certa observância superficial e algumas orações, e da eventual passagem por um caminho de retidão estreito, porém inútil, salvar a própria alma. Talvez esse seja um julgamento demasiado rigoroso de meus vizinhos, pois creio que muitos deles não sabem que há em sua cidade uma instituição como a cadeia.

Havia antigamente em nossa cidade o costume de os conhecidos saudarem os pobres endividados que saíam da prisão olhando-os através dos dedos em forma das barras da janela da cadeia e dizendo: "Como vai?" Meus conhecidos não me deram essa saudação, mas primeiro me encararam e depois se entreolharam, como se eu tivesse retornado de uma longa viagem. Eu fora preso quando me dirigia ao sapateiro para buscar um sapato consertado. Quando fui solto na manhã seguinte, resolvi terminar o que estivera fazendo e, depois de calçar o tal sapato, juntei-me a um grupo que pretendia colher frutas silvestres e ansiava por me ter como guia. E em pouco mais de meia hora – pois o cavalo logo foi arreado – chegamos ao topo de um dos nossos mais altos morros, onde abundavam frutas silvestres, a três quilômetros da cidade. E dali não se podia ver o Estado em lugar nenhum.

Esta é toda a história de "minhas prisões".

Nunca me recusei a pagar o imposto referente às estradas, pois desejo ser um bom vizinho tanto quanto um péssimo súdito; e quanto a sustentar escolas, atualmente faço a minha parte na tarefa de educar meus conterrâneos. Não é algum item específico dos impostos que me faz recusar o pagamento. Quero apenas negar lealdade ao Estado, quero afastar-me e a ele me manter efetivamente indiferente. Não me dou ao trabalho de seguir a trajetória do dólar que paguei, mesmo que isso fosse possível, até o momento em que ele contrata um homem ou compra uma arma para matar um homem; o dólar é inocente. Mas me importa seguir os efeitos de minha lealdade. Na verdade, eu declaro guerra silenciosamente ao Estado, à minha maneira, embora continue a usá-lo e a tirar dele as vantagens que puder, como costuma acontecer nessas circunstâncias.

Se outros pagam o imposto que me é exigido, estes nada mais fazem do que já fizeram quando pagaram seu próprio imposto, ou melhor, levam a injustiça além do limite que o Estado exige. Se pagam o imposto alheio a partir de um interesse equivocado pela sorte do indivíduo taxado, para salvar sua propriedade ou prevenir seu encarceramento, isso só ocorre porque não examinaram seriamente o quanto permitem que seus sentimentos particulares interfiram no bem público.

Esta é, portanto, minha posição atual. Mas não se pode ficar exageradamente de sobreaviso numa circunstância dessas, para evitar que essa atitude seja desviada pela obstinação ou por uma preocupação indevida com a opinião alheia. Que cada um cuide de fazer somente o que lhe cabe, e no momento certo.

Por vezes penso: ora, esse povo tem boas intenções, mas é ignorante; seria melhor que soubesse como agir; por que incomodar os meus vizinhos a me tratar de uma forma contrária às suas inclinações? Mas penso também: isso não é motivo para agir como eles ou para permitir que mais pessoas sofram uma dor ainda maior de outro tipo. E por vezes digo a mim mesmo: quando muitos milhões de homens, sem paixão, sem hostilidade, sem sentimentos pessoais de qualquer tipo, lhe pedem apenas uns poucos xelins, sem que lhes seja possível, dada sua natureza, retirar ou alterar sua exigência atual e sem a possibilidade de você, por sua vez, fazer um apelo a outros milhões de homens, por que você deveria se expor a tal força bruta avassaladora? Você não resiste ao frio e à fome, aos ventos e às ondas com tamanha obstinação; você se submete pacificamente a mil imposições similares. Você não coloca a cabeça no fogo. Mas justamente na medida em que não considero essa força inteiramente bruta, mas parcialmente humana, e pondero que mantenho relações com esses milhões e com outros muitos milhões de homens, e não apenas com coisas brutas ou inanimadas, vejo também que é possível apelar: em primeiro lugar, e imediatamente, eles podem apelar a seu Criador, e, em segundo, uns aos outros. Mas se ponho a minha cabeça no fogo deliberadamente, não há apelo possível a ser feito ao fogo ou ao criador do fogo, e sou o único culpado. Se eu conseguisse convencer-me de que tenho algum direito a me sentir satisfeito com os homens tal como são, e a tratá-los de acordo com isso e não, em alguns aspectos, segundo minhas exigências e expectativas de como eles e eu mesmo deveríamos ser, então, como bom muçulmano e fatalista, eu deveria me esforçar para ser feliz com as coisas tal como são e afirmar que é a vontade de Deus. E, acima de tudo, há uma diferença entre resistir a essa força e a alguma outra puramente bruta ou natural: posso resistir a ela com algum efeito, mas não posso, ao contrário de Orfeu[11], esperar mudar a natureza das pedras, das árvores e dos animais.

Não desejo polemizar com nenhum homem ou nação. Não quero me perder em milhares de detalhes, fazer elaboradas distinções ou me apresentar como melhor que meus vizinhos. Busco antes, posso admitir, até mesmo uma desculpa para me conformar às leis do país. Estou perfeitamente pronto a obedecê-las. Em verdade, tenho motivos para suspeitar de mim mesmo quanto a isso; e a cada ano, quando a época da vinda do coletor de impostos está próxima, eu me vejo disposto a revisar os atos e as posições do governo central e do governo estadual, e o espírito do povo, para descobrir um pretexto para a conformidade.

> Devemos ter afeto ao nosso país como aos nossos pais
> E se a qualquer tempo alienamos
> Nosso amor ou esforço de fazer-lhes honra
> Devemos respeitar os efeitos e ensinar à alma
> Questões de consciência e religião,
> E não desejo de domínio ou benefício[12].

Acredito que logo o Estado será capaz de tirar de minhas mãos todos os encargos deste tipo e então não serei mais patriota do que o resto dos meus conterrâneos. Encarada de um ponto de vista menos elevado, a Constituição, com todos os seus defeitos, é muito boa; a lei e os tribunais são muito respeitáveis; mesmo o Estado de Massachusetts e o governo dos Estados Unidos são, em muitos aspectos, coisas bem admiráveis e raras, pelas quais devemos ser gratos, tal como os descreveram tantos. Vistos de um ponto de vista mais elevado, e do mais elevado, quem será capaz de dizer o que são, ou dizer que vale a pena em alguma medida observá-los ou refletir sobre eles?

Entretanto, o governo não me preocupa muito, e quero dedicar a ele o menor número possível de reflexões. Não passo muitos momentos sujeito a um governo, mesmo neste mundo. Se um homem é livre de pensamento, livre para fantasiar, livre de imaginação, de forma que aquilo que *não é* nunca lhe pareça por muito tempo *ser*, governantes ou reformadores insensatos não podem lhe criar empecilhos fatais.

Sei que a maioria dos homens pensa de maneira diferente de mim. Mas os homens que se dedicam profissionalmente a estudar estas questões e outras parecidas me contentam tão pouco quanto todos os outros. Achando-se tão integralmente inseridos na instituição, os homens de Estado e os legisladores nunca conseguem contemplá-la nua e cruamente. Eles falam de mudar a sociedade, mas não têm um ponto de apoio fora dela. Podem ser homens de certa experiência e discriminação, e sem dúvida capazes de criar sistemas engenhosos e mesmo úteis, pelos quais lhes devemos sincera gratidão. Mas todo o seu gênio e toda a sua utilidade se restringem a certos limites não muito amplos. Eles tendem a esquecer que o mundo não é governado por políticas e conveniências. Webster[13] nunca vai ao âmago do governo e, por isso, não pode ser uma autoridade no assunto. Suas palavras são sábias para os legisladores que não contemplam nenhuma reforma essencial no governo existente; mas para pensadores, e para os que fazem leis duradouras, ele sequer chega a lançar olhos sobre o assunto. Conheço algumas pessoas cujas especulações serenas e sábias cedo revelariam os limites do alcance e da hospitalidade de seu espírito. Ainda assim, quando comparadas com as declarações baratas da maioria dos reformadores e com a mentalidade e a eloquência ainda mais baratas dos políticos em geral, suas palavras são praticamente as únicas que têm valor e sensibilidade, e devemos agradecer ao céu por isso. Em termos comparativos, ele é sempre vigoroso, original e, sobretudo, prático. Sua virtude, no entanto, não é a sabedoria, mas a prudência. A verdade do jurista não é a Verdade, mas a consistência, ou uma conveniência consistente. A verdade está sempre em harmonia consigo mesma, e seu principal papel não é o de revelar a justiça que possa conviver com as más ações. Webster bem merece o título pelo qual é conhecido: "Defensor da Constituição". De fato, não há como atacá-lo, mas apenas defender-se de seus golpes. Ele não é um líder, e sim um seguidor. Os seus líderes são os homens de 1787[14]. Ele disse: "Nunca tomei e nunca pretendo tomar, e nunca apoiei ou pretendo apoiar, uma medida voltada para desfazer o acordo original pelo qual os diversos Estados formaram a União". Ainda comentando a sanção que a Constituição dá à escravidão, diz ele: "Sendo parte do pacto original, deve ela permanecer". Apesar da sua percepção e habilidade especiais, ele não consegue tirar um fato de suas relações meramente políticas para contemplá-lo nos termos absolutos que fica à disposição do intelecto – por exemplo, o que cabe a um homem hoje, nos Estados Unidos, fazer diante da escravidão, mas, embora alegue que fala em termos absolutos, e como um homem particular, se arrisca a elaborar, ou é levado a elaborar, uma resposta desesperada como a que vem a seguir, resposta a partir da qual se podem inferir novos e singulares deveres sociais:

"A forma pela qual os governos dos Estados onde existe escravidão vão regulamentá-la é matéria de sua própria deliberação, em sua responsabilidade diante de seus constituintes, das leis gerais da propriedade, da humanidade e da justiça, e de Deus. Quaisquer associações formadas alhures, mesmo advindas de um sentimento de humanidade, ou de alguma outra causa, nada têm que ver com essa questão. Nunca receberam de mim qualquer apoio, e nunca vão receber"[15].

Quem não conhece as fontes mais puras da verdade, quem não quer ir até o ponto mais alto de sua corrente, segue – sabiamente – a Bíblia e a Constituição; e nelas bebem, com reverência e humildade. Mas aqueles que conseguem ver que a verdade vem mais de cima, e alimenta esse lago ou aquele remanso, precisa preparar de novo o corpo para continuar a peregrinação, até alcançar a nascente.

Ainda não apareceu um homem dotado de gênio para legislar nos Estados Unidos. Homens assim são raros na história do mundo. Há oradores, políticos e homens eloquentes aos milhares; mas ainda não ouvimos a voz do orador capaz de solucionar as complexas questões cotidianas. Amamos a eloquência pelo seu valor próprio, e não por alguma verdade que venha a pronunciar ou por algum heroísmo que inspire. Nossos legisladores ainda não aprenderam a distinguir o valor relativamente pequeno que tem para um país o livre-comércio diante da liberdade, da união e da retidão. Eles não têm gênio ou talento para as questões relativamente corriqueiras dos impostos, das finanças, do comércio e da indústria e da agricultura. Se fôssemos entregues à engenhosa oratória dos congressistas como nosso guia, sem contar com a correção vinda da experiência madura e dos protestos efetivos de nosso povo, os Estados Unidos não conseguiriam manter por muito tempo sua posição entre as nações. Faz mil e oitocentos anos, e eu talvez não tenha o direito de afirmar isso, que o Novo Testamento foi escrito; no entanto, onde está o legislador com suficiente sabedoria e talento prático para se valer de toda a luz que esse texto lança sobre a ciência da legislação?

A autoridade do governo, mesmo do governo ao qual estou disposto a me submeter – pois vou obedecer com satisfação aos que saibam e façam melhor do que eu e, em inúmeras questões, até aos que não saibam nem façam as coisas tão bem–, continua impura. Para ser estritamente justa, ela precisa contar com a sanção e o consentimento dos governados. O único direito puro que ela pode ter sobre minha pessoa e meus bens é aquele que eu lhe conceder. A evolução de uma monarquia absoluta para uma monarquia constitucional, e desta para uma democracia, é uma evolução rumo ao verdadeiro respeito pelo indivíduo. O próprio filósofo chinês teve sabedoria suficiente para considerar o indivíduo a base do império. Será a democracia, tal como a conhecemos hoje, o último aperfeiçoamento possível em matéria de governos? Não será possível dar um passo a mais no reconhecimento e na organização dos direitos do homem? Jamais haverá um Estado realmente livre e esclarecido enquanto o Estado não reconhecer no indivíduo um poder maior e independente do qual vêm todo o seu poder e toda a sua autoridade e enquanto não o tratar correspondentemente. Apraz-me imaginar um Estado que possa enfim se dar ao luxo de ser justo com todos os homens e de tratar o indivíduo respeitosamente, como um vizinho; um Estado que chegue ao ponto de não considerar incompatível com sua tranquilidade a existência de alguns poucos homens vivendo à parte dele, sem nele se intrometerem nem serem por ele abrangidos, e que desempenhassem todos os deveres de vizinhos e de concidadãos. Um Estado que produzisse essa espécie de fruto, e que estivesse disposto a deixá-lo cair tão logo amadurecesse, abriria caminho para um Estado ainda mais perfeito e glorioso, que também imaginei, mas ainda não vi em parte alguma.

Notas

1. Trata-se da tradução do texto de 1849, cujo título original era *Resistência ao governo civil*.

2. Isto é, flexíveis [N.T.].

3. Trecho de *The Burial of Sir John Moore at Corrunna*, de Charles Wolfe (1791-1823): "Not a drum was heard, not a funeral note, / As his corse to the rampart we hurried; / Not a soldier discharged his farewell shot / O'er the grave where our hero was buried" [N.T.].

4. Trecho de *Hamlet*, ato V, cena 1: "stop a hole to keep the wind away" [N.T.].

5. Trecho do ato V, cena 2, de *Vida e morte do Rei João*, de Shakespeare: "I am too high born to be propertied, / To be a second at control, / Or useful serving-man and instrument / To any sovereign state throughout the world" [N.T.].

6. Referência à Guerra de Independência dos Estados Unidos, que teve o apoio da França e da Espanha [N.T.].

7. Referência não só à causa abolicionista, mas à defesa de diretos civis em geral [N.T.].

8. *Odd Fellow*: membro de uma irmandade secreta internacional, não política e não sectária, fundada em 1819 em Baltimore [N.T.].

9. Membros de um partido político que favorecia a autoridade de Herodes, governador da Galileia sob o domínio romano [N.T.].

10. Taxa a ser paga para se qualificar para votar. O objetivo oculto era o de dificultar o acesso ao voto por pessoas de baixa renda [N.T.].

11. Orfeu, da mitologia grega, era capaz de encantar com sua música pedras e outros objetos inanimados [N.T.].

12. Trecho de *A Batalha de Alcácer-Quibir*, de George Peele: "We must affect our country as our parents, / And if at any time we alienate / Out love or industry from doing it honor, / We must respect effects and teach the soul / Matter of conscience and religion, / And not desire of rule or benefit" [N.T.].

13. Daniel Webster, conhecido senador da época [N.T.].

14. Redatores da Constituição dos Estados Unidos, de 1787 [N.T.].

15. Esses trechos foram inseridos depois de a palestra ter sido lida [N.A.].

Vozes de Bolso

- *Assim falava Zaratustra* – Friedrich Nietzsche
- *O príncipe* – Nicolau Maquiavel
- *Confissões* – Santo Agostinho
- *Brasil: nunca mais* – Mitra Arquidiocesana de São Paulo
- *A arte da guerra* – Sun Tzu
- *O conceito de angústia* – Søren Aabye Kierkegaard
- *Manifesto do Partido Comunista* – Friedrich Engels e Karl Marx
- *Imitação de Cristo* – Tomás de Kempis
- *O homem à procura de si mesmo* – Rollo May
- *O existencialismo é um humanismo* – Jean-Paul Sartre
- *Além do bem e do mal* – Friedrich Nietzsche
- *O abolicionismo* – Joaquim Nabuco
- *Filoteia* – São Francisco de Sales
- *Jesus Cristo Libertador* – Leonardo Boff
- *A Cidade de Deus* – Parte I – Santo Agostinho
- *A Cidade de Deus* – Parte II – Santo Agostinho
- *O conceito de ironia constantemente referido a Sócrates* – Søren Aabye Kierkegaard
- *Tratado sobre a clemência* – Sêneca
- *O ente e a essência* – Tomás de Aquino
- *Sobre a potencialidade da alma* – De quantitate animae – Santo Agostinho
- *Sobre a vida feliz* – Santo Agostinho
- *Contra os acadêmicos* – Santo Agostinho
- *A Cidade do Sol* – Tommaso Campanella
- *Crepúsculo dos ídolos ou Como se filosofa com o martelo* – Friedrich Nietzsche
- *A essência da filosofia* – Wilhelm Dilthey
- *Elogio da loucura* – Erasmo de Roterdã
- *Linguagem corporal em 30 minutos* – Monika Matschnig
- *Utopia* – Thomas Morus
- *Do contrato social* – Jean-Jacques Rousseau
- *Discurso sobre a economia política* – Jean-Jacques Rousseau
- *Vontade de potência* – Friedrich Nietzsche
- *A genealogia da moral* – Friedrich Nietzsche
- *O banquete* – Platão
- *Os pensadores originários* – Anaximandro, Parmênides, Heráclito
- *A arte de ter razão* – Arthur Schopenhauer
- *Discurso sobre o método* – René Descartes
- *Que é isto – A filosofia?* – Martin Heidegger
- *Identidade e diferença* – Martin Heidegger
- *Sobre a mentira* – Santo Agostinho
- *Da arte da guerra* – Nicolau Maquiavel

- *Os direitos do homem* – Thomas Paine
- *Sobre a liberdade* – John Stuart Mill
- *Defensor menor* – Marsílio de Pádua
- *Tratado sobre o regime e o governo da cidade de Florença* – J. Savonarola
- *Primeiros princípios metafísicos da Doutrina do Direito* – Immanuel Kant
- *Carta sobre a tolerância* – John Locke
- *A desobediência civil* – Henrry David Thoureau
- *A ideologia alemã* – Karl Marx e Friedrich Engels
- *O Conspirador* – Nicolau Maquiavel
- *Discurso de metafísica* – G.W. Leibniz
- *Segundo Tratado sobre o governo civil e outros escritos* – John Locke
- *Miséria da Filosofia* – Karl Marx
- *Escritos seletos* – Martinho Lutero
- *Escritos seletos* – João Calvino